劉福春・李怡 主編

民國文學珍稀文獻集成

第一輯

新詩舊集影印叢編　第23冊

【汪靜之卷】

蕙的風

上海：亞東圖書館 1922 年 8 月版

汪靜之　著

花木蘭文化出版社

國家圖書館出版品預行編目資料

蕙的風／汪靜之　著 -- 初版 -- 新北市：花木蘭文化出版社，2016
〔民 105〕
296 面；19 ×26 公分
（民國文學珍稀文獻集成・第一輯・新詩舊集影印叢編　第 23 冊）
ISBN：978-986-404-622-5（套書精裝）
831.8　　105002931

ISBN-978-986-404-622-5
9789864046225

民國文學珍稀文獻集成・第一輯・新詩舊集影印叢編（1-50 冊）
第 23 冊

蕙的風

著　　者　汪靜之
主　　編　劉福春、李怡
企　　劃　首都師範大學中國詩歌研究中心
北京師範大學民國歷史文化與文學研究中心
（臺灣）政治大學民國歷史文化與文學研究中心
總 編 輯　杜潔祥
副總編輯　楊嘉樂
編　　輯　許郁翎
出　　版　花木蘭文化出版社
社　　長　高小娟
聯絡地址　235 新北市中和區中安街七二號十三樓
電話：02-2923-1455／傳真：02-2923-1452
網　　址　http://www.huamulan.tw 信箱　hml 810518@gmail.com
印　　刷　普羅文化出版廣告事業
初　　版　2016 年 4 月
定　　價　第一輯 1-50 冊（精裝）新台幣 120,000 元

蕙的風

汪靜之 著

汪靜之（1902-1996）生於安徽績溪。

亞東圖書館（上海）一九二二年八月出版。原書三十二開。

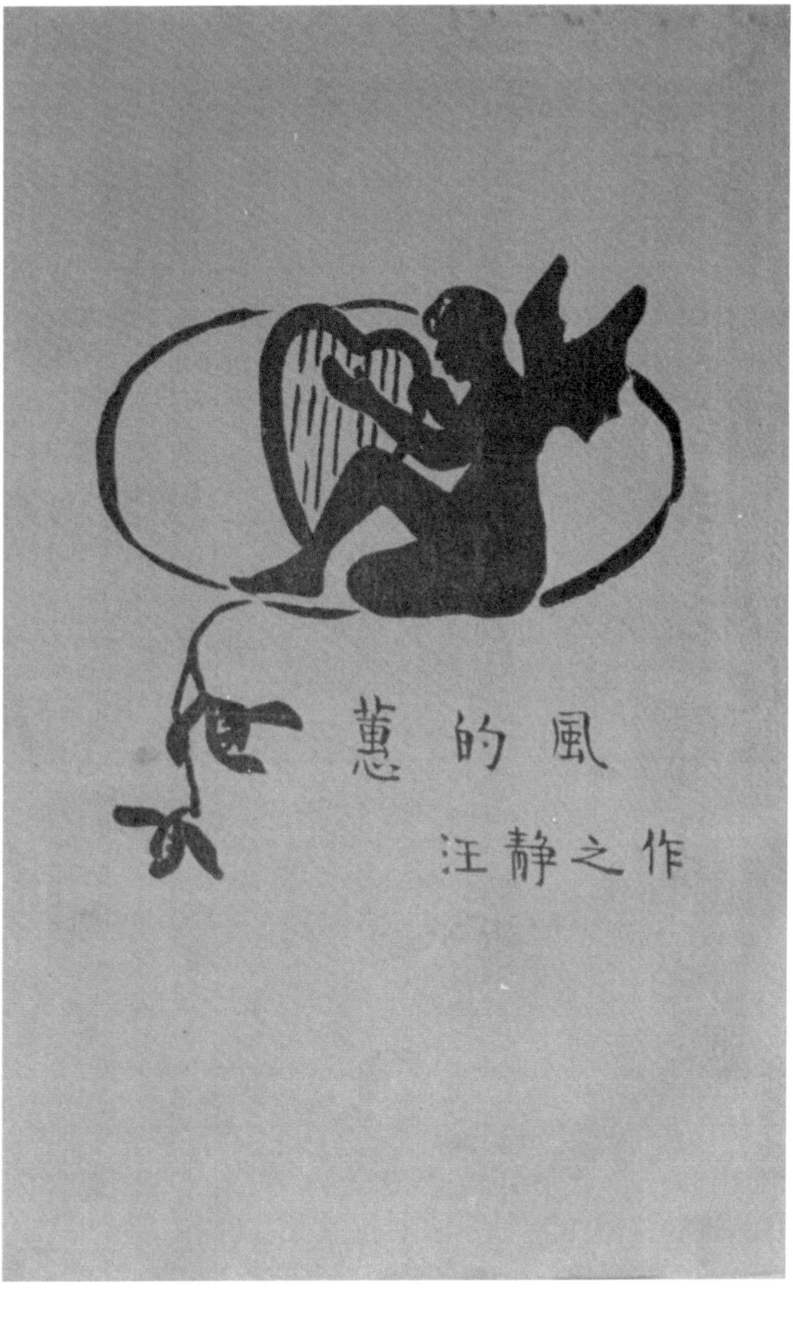
蕙的風
汪静之作

朱序

約莫七八個月前，汪君靜之鈔了他的十餘首詩給我看；我從來不知道他能詩，看了那些作品，頗自驚喜讚嘆。後他常常作詩。　去年十月間，我在上海閒住。　他從杭州寫信給我，說詩已編成一集，叫『蕙的風』。　我很歆羨他創作底敏捷和成績底豐富！　他說就將印行，教我做一篇序，就他全集底作品略略解釋。　我頗樂意做這事；但怕所說的未必便能與他的意思符合哩。

靜之底詩頗有些像康白情君。　他有詩歌底天才；他的詩藝術雖有工拙，但多是性靈底流露。　他說自己『是一個小孩』；他確是二十歲的一個活潑潑的小孩子。這一句自很可以幫助我們了解他的人格和作品。小孩子天眞爛漫少經人間世底波折，自然衹有『無關心』的熱情瀰滿在他的胸懷裏。所以他的詩多是贊頌自然，詠歌戀愛。所贊頌的又衹是清新，美麗的自然，而非神秘，偉大的自然；所詠歌的又衹是質直，單純的戀愛，而非纏綿，委曲的戀愛。這才是孩子們潔白的心聲，坦率的少年的氣度！而表現法底簡單，明瞭，少宏深，幽渺之致，也正顯出作者底本色。他不用捶鍊底工夫，所以無那精細的藝術。但若有了那精細的藝術，他還能保留孩子底心情麼？

我們現在需要最切的，自然是血與淚底文學，不是美與愛底文學；是呼籲與詛咒底文學，不是贊頌與詠歌底文學。

可是從原則上立論，前者固有與後者並存底價值。因為人生要求血與淚，也要求美與愛，要求呼籲與詛呪，也要求贊嘆與詠歌：二者原不能偏廢。但在現勢下，前者被需要底比例大些，所以我們便迫切感着，認為『先務之急』了。雖是『先務之急』，卻非『只此一家』，所以後一種的文學也正有自由發展底餘地。這或足為靜之以美與愛為中心意義的詩，向現在的文壇稍稍辨解了。況文人創作，固受時代和周圍底影響，他的年齡也不免為一個重要關係。靜之是個孩子，美與愛是他生活底核心；贊頌與詠歎，在他正是極自然而適當的事。他似乎不曾經歷着那些應該呼籲與詛呪的情景，所以寫不出血與淚底作品。若教他勉強效顰，結果必是虛浮與矯飾；在我們是無所得，在他却已有所失，那又何取呢！所以我們當客觀地容許，領解「靜之底詩，還他們本來的價值；不可但憑成見，論定是非：這樣，就不辜負他的一番心力了。

「朱自清。揚州，南門，禾稼巷。」

——二，二，一。——

胡序

我的少年朋友汪靜之把他的詩集『蕙的風』寄來給我看，後來他隨時做的詩，也都陸續寄來。他的集子在我家裏差不多住了一年之久；這一年之中，我覺得他的詩的進步着實可驚。他在一九二一，二，三，做的雪花——棉花，有這樣的句子：

你還以爲我孩子瞎說嗎？
你不信到門前去摸摸看，
那不是棉花？
那不是棉花是什麼？

媽，你說這是雪花，
我說這是頂好的棉花，
比我前天望見棉花舖子裏的還好的多多。

……………

這確是狠幼稚的。但他在一年之後——一九二二，一，一八——做的小詩，如

我冒犯了人們的指謫，
一步一回頭地瞟我意中人，
我怎樣欣慰而胆寒呵。

這就是很成熟的好詩了。

我讀靜之的詩，常常有一個感想：我覺得他的詩在解放一方面比我們做過舊詩的人更澈底的多。當我們在五六年

前提倡做新詩時，我們的『新詩』實在還不曾做到『解放』兩個字，遠不能比元人的小曲長套，近不能比金冬心的自度曲。 我們雖然認清了方向，努力朝着『解放』做去，然而當日加入白話詩的嘗試的人，大都是對於舊詩詞用過一番工夫的人，一時不容易打破舊詩詞的鐐銬枷鎖。 故民國六七八年的『新詩』，大部分只是一些古樂府式的白話詩，一些擊壤集式的白話詩，一些詞式和曲式的白話詩，——都不能算是眞正新詩。 但不久就有許多少年的『生力軍』起來了。 少年的新詩人之中，康白情俞平伯起來最早；他們受的舊詩的影響，還不算很深，（白情草兒附的舊詩，很少好的，）所以他們的解放也比較更容易。 自由（無韻）詩的提倡，白情平伯的功勞都不小。 但舊詩詞的鬼影仍舊時時出

胡序

現在許多『半路出家』的新詩人的詩歌裏。——平伯的小劫，
便是一例：

雲皎潔，我底衣，
霞爛縵，我底裙裾，
終古去敖翔，
隨着蒼蒼的大氣；
爲什麼要低頭呢？
哀哀我們底無儔侶。
去低頭！低頭看——看下方；
看下方啊，吾心震蕩；
看下方啊，
撕碎身荷芰底芳香。

這詩的音調，字面，境界，全是舊式詩詞的影響。直到最近一兩年內，又有一班少年詩人出來；他們受的舊詩詞的影響更薄弱了，故他們的解放也更澈底。靜之就是這些少年詩人之中的最有希望一個。他的詩有時未免有些稚氣，然而稚氣究竟遠勝於暮氣；他的詩有時未免太露，然而太露究竟遠勝於晦澀。況且稚氣總是充滿着一種新鮮風味，往往有我們自命「老氣」的人萬想不到的新鮮風味。如靜之的月夜的末章：

我那次關不住了，
就寫封愛的結晶的信給伊。
但我不敢寄去，
怕被外人看見了；

不過由我底左眼寄給右眼看，
還右眼就是代替伊了。…………
這是稚氣裏獨有的新鮮風味，我們『老』一輩的人只好望着欣羨了。
我再舉一個例：
浪兒張開他底手腕，
一疊一疊滾滾地擁擠着，
摟着砂兒怪親密地吻着。
剛剛吻了一下，
却被風推他回去了。
他不忍去而去，
似乎怒吼起來了。
呀，他又剛復愎地勢洶洶地趕來了！

他抱着那靠近砂邊的小石塔，
更親密地用力接吻了。
他爬上那小石塔了。
雪花似的浪花碎了，——噴散着。
笑了，他快樂的大聲笑了。
但是風又把他推回去了。
海浪呀，
你歇歇罷！
你已經留給伊了——
你底愛的痕跡統統留給伊了。
你如此永續地忙着，
也不覺得倦嗎？（海濱）

這裏確有稚氣，然而可愛呵，稚氣的新鮮風味！

至於『太露』的話，也不能一概而論。詩固有淺深，到也不全在露與不露。李商隱一派的詩，吳文英一派的詞，可謂深藏不露了，然而究竟遮不住他們的淺薄。三百篇裏：

取彼譖人，
投畀豺虎；
豺虎不食，
投畀有北；
有北不受，
投畀有昊！

這是很露的了，然而不害其為一種深切的感情的表現。如果眞有深厚的內容，就是直截流露的寫出，也正不妨。古人說的『含蓄』，並不是不求人解的不露，乃是能透過一層，反覺得直說直敘不能達出詩人的本意，故不能不脫略枝節，超過細目，抓住了一個要害之點，另求一個『深入而淺出』的方法。 故論詩的深度，有三個階級：淺入而淺出者爲下，深入而深出者勝之，深入而淺出者爲上。 靜之的詩，這三個境界都曾經過。 如前年做的怎敢愛伊：

我本很愛伊，——
　十二分愛伊。
我心裏雖愛伊，
　面上却不敢愛伊。
我倘若愛了伊，

怎樣安置伊？
他不許我愛伊，
我怎敢愛伊？

這自然是受了我早年的詩的餘毒，未免『淺入而淺出』的毛病。但同樣題目，他去年另有一個寫法：

願你不要那般待我，
這是不得已的，
因你已被他霸佔了。
我們別無什麼，
只是光明磊落眞誠懇摯的朋友；
但他總抱着無謂的疑團呢．
他不能了解我們，

還是怎樣可憎的隔膜呀！
你給我的信——
裏面還擱着你底眞心——
已被他妬恨地撕破了。
……………
他兇殘地怨責你，
不許你對我訴衷曲，
他冷酷地刻薄我，
我實難堪這不幸的遭際呀！
因你已被他霸佔了，
這是不得已的，
願你不要那般待我——

一定的，

一定不要呀！（非心願的要求）

這就是『深入而深出』的寫法了。露是很露的，但這首詩究竟可算得一首赤裸裸的情詩。過了一年，他的見解似乎更進步了，他似乎能超過那笨重的事實了，所以他今年又換了一種寫法：

我願把人間的心，
一個個都聚攏來，
共總鎔成了一個；
像月亮般掛在清的天上，
給大家看個明明白白。

我願把人間的心，
一個個都聚攏來，
用仁愛的日光洗潔了；
重新送還給人們，
使誤解從此消散了。（我願）

這種寫法，可以算是『深入而淺出』的了。我不知別人讀此詩作何感覺，但我讀了此詩，覺得裏面含着深刻的悲哀，覺得這種詩是『詩人之詩』了。

靜之的詩，也有一些是我不愛讀的。但這本集子裏確然有很多的好詩。我很盼望國內讀詩的人不要讓腦中的成見埋沒了這本小冊子。成見是人人都不能免的；也許有人覺得靜之的情詩有不道德的嫌疑，也許有人覺得一個青年人不應該做這種呻吟宛轉的情詩，也許有人嫌他的長詩太繁了，也許有人嫌他的小詩太短了，也許有人不承認這些詩是詩。但是，我們應該承認我們的成見是最容易錯誤的，道德的觀念是容易變遷的，詩的體裁是常常改換的，人的情感是有個性的區別的。況且我們受舊詩詞影響深一點的人，帶上了舊眼鏡來看新詩，更容易陷入成見的錯誤。我自己常常承認是一個纏過脚的婦人，雖然努力放脚，恐怕終究不能恢復那「天足」的原形了。我現在看着這些澈底解放的少年詩人，就像一個纏過脚後來放脚的婦人望着那些眞正天足的女孩子們跳來跳去，妬在眼裏，喜在心頭。他們給了我許多「烟士披里純」，我是很感謝的。四五年前，我們初做新詩的時候，我們對社會只要求一個自由嘗試的權利；現在這些少年新詩人對社會要求的也只是一個自由嘗試的權利。為社會的多方面的發達起見，我們對於一切文學的嘗試者，美術的嘗試者，生活的嘗試者，都應該承認他們的嘗試的自由。這個態度，叫做容忍的態度(Tolerance)。容忍上加入研究的態度，便可到了解與賞識。社會進步的大阻力是冷酷的不容忍。靜之自己也會有一個很動人的呼告：

被損害的鶯哥大詩人，
將要絕氣的時候，
對着他底朋友哭告道：
犧牲了我不要緊的；
只願諸君以後千萬要防備那暴虐者——

胡序

好好地奮發你們青年的花罷！（被損害的）

十一，六，六。胡適。

劉序

中國幾千年來的文學是太不人生的，而最近三四年來則有直趨于『太人生的』之傾向。近來躁急的批評者遇到描寫自然之作，就喚之爲『風雲月露山光水色』之文章；看見敘述愛情之詩，卽稱之爲『春花秋月哥哥妹妹』之濫調。其實風雲月露哥哥妹妹都沒有得罪世人；我們祇須問詩人唱的好歹，不必到處考他唱的什麼。而且自然的景色與愛神的翺翔，誰能見之而不凝睇？可以做的事又未必不可以唱吧？

棲在枯樹上的鳥兒，不能禁他有歡悅的鳴聲；流于荒原中的溪水，不能禁他有琤琤琮琮的歌調；住在灰色街市中的人們，不能禁其奏管絃而弄簫鼓。固然現在的世界是汚濁與罪惡的世界，其中值得人們血淚之事多，可以歡笑之事少；但是在他們灑過血淚之後，似乎也不妨有一兩度的歡笑吧。

當他們清早出門為人間工作去時，我們是歡喜地立於門前相送，合十而祝其康樂耐勞；但當他們工作之後歸來，我們也很願意他們看看「山光水色」，唱唱「哥哥妹妹」呢！因為我們是為的善良的生活而生，義務與享樂皆所以「善」我們之生。若說我們只當工作，不應享樂，這一種宗教式的Stoical的人生觀，實在不敢聞命！

把相似的理由應用到文藝上來，似乎也不能說藝術派的文學沒有存在的價值。

進一步說，固然人生的文學與藝術的文學之價值須因時代而分輕重。不過相對的輕重也很難定標準。也許農人之愛其門前的紅葉甚於縣長的銅印；而

『上帝愛一個懶惰的虹
不下於工作的海。』(Ralhp Hodgson)

但是我說了這一大篇話竟不像是替人做序。然而我實在是替靜之做序的。靜之的詩以讚美自然歌詠愛情的居多；固然因為他的年歲與訓練的時日的關係，他的作品在藝術方面不能算十分完善，然而批評者總不應因我偏於自然與愛情而下嚴辭，讀者也不應受『太人生的』空氣之傳染而存偏見。否則先請他們回答我這篇『似非而是』的序。

劉延陵。

劉序

二二，七，一九二二，南通。

自序

花兒一香香地開，喜歡開就開了，那顧得人們有沒有鼻子去嗅？鳥兒一曲曲地唱，喜歡唱就唱了，那顧得人們有沒有耳朵去聽？彩霞一陣陣地佈，喜歡佈就佈了，那顧得人們有沒有眼睛去看？

嬰兒『咿嘻咿嘻』地笑，『咕嚅咕嚅』地哭；我也像這般隨意地放情地歌着：這只是一種浪動罷了。我極眞誠地把『自我』溶化在我底詩裏；我所要發洩的都從心底湧出，從筆尖跳下來之後，我就也慰安了，暢快了。我是為的『不得不』而做詩，我若不寫出來，我就悶得發慌！

自序

回想幼時在家鄉，有親愛的姊妹們每於清風徐徐的早晨的園裏，閑靜時家人團叙的廳前，或鋪滿銀色月光的草地上，教我唱俗歌童謠的情景，尤令我神往。

我很慚愧，我底詩是這麼幼稚，這麼微弱，這麼拙劣！但我有堅决的志願，我要把靈魂的牢獄毀去！我只盡我所能，努力做着。

至於詩國裏還有要把一切的作品撳入一個範圍的蠢魯的專制的事情，這也只能當作笑話罷。誰耐煩和他們磨口舌！

去年五月間聖陶先生來信說起刊行詩集；我也覺得這種很壞的成績也許有報告的資格。詩集去年已編成，但直至今年離杭州以前的詩都加入了。集內除了另外註出作于何處的幾些首以外，其餘的都是旅居杭州兩年間做的。

2

自序

我借此處謝謝替此集做序的諸先生和寫封面字的周作人先生，畫封面畫的兪滌君，題卷頭語的蔡漪君。

一九二二，七，十五。

靜之於吳淞，中國公學。

自序

蕙的風目錄：—

卷頭語

朱序，胡序，劉序，自序

第一輯：

目錄

2

第二輯：

錄　目

第三輯：

第四輯：

錄目

第一輯

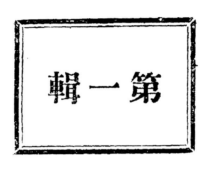

蕙的風

是那裏吹來
這蕙花的風——
溫馨的蕙花的風？

* *

蕙花深鎖在園裏，
伊滿懷着幽怨。
伊底幽香潛出園外，
去招伊所愛的蝶兒。

* *

雅潔的蝶兒，

蕙的風

薰在蕙風裏：
他陶醉了；
想去尋着伊呢。

他怎尋得到被禁錮的伊呢？
他只迷在伊底風裏，
隱忍着這悲慘然而甜蜜的傷心，
醺醺地翩翩地飛着。

（一九二一，九，三。）

2

定情花

伊開了一朶定情花，
由伊底眼光贈給我；
我將我底心當做花園，
鄭重把伊供養着。

用我底愛淚灑伊，
用我底情熱暖伊，
用我底歌聲護伊；
於是伊更美麗了。

風的蕙

我們底
無限的生命，
藉此互相了解着，
互相慰安着。

＊　＊

只是罪惡世界傷了我底心，
枯了我底愛泉，
冷了我底情爐，
啞了我底歌喉。

＊　＊

神呵，賜我些能——
愛淚情熱和歌聲呵！

4

不然，伊若是萎了，
我們將從此消滅呀！

（一九二一，十一，十七，在一師校第二圖所。）

竹影

窗外清清的竹，
映進淡淡的影，
幽幽地貼在我手上，
密密地蕩漾着我底情思；
從我沉悶的心頭，
浪動着閒適的詩趣。

我吻了吻手上的影，
笑了笑和藹的笑。
我默默地靜着，

很不願離開，
也不忍離開。

※　※

太陽不惜別地跑去，
影兒微微地顫也顫。
太陽沒了，
影兒也沒了。
我依依戀戀地，
以爲伊還在手上；
我不能自已地親吻伊，
在永久的黑暗裏。

（一九二二，一，二。）

我倆

我倆幼小的時候，
在家鄉同學，
無上地相親相愛；
無論悲憂歡樂，
我的就是你的，你的就是我的。

＊　＊

我們游戲時，
或捉迷藏或打球，
我總衛護你，
你總幫助我。

我倆完全一氣，
我倆底心已凝結成一個了。

我每每乘無人看見、
偷與你親吻，
你羞答答地
很輕鬆很軟和地打我一個嘴巴！
又摸摸被打的地方，賠罪說：
「沒有打痛罷？」
你那溫柔的情意，
使我眞個舒服呵！

有時你懊惱了，
故意不利害地罵着我，
我必低聲安慰你：
替你理頭髮，
替你揩眼淚。
我覺得你底髮如情絲，
你底淚如愛露。

＊ ＊

我生平最不能忘的一次——
我年十五你十三，——
你底姆媽微笑對你說：
「我底嬌嬌，

今夜和哥哥同睡罷。」
那時你還不懂得什麼，
我倆只互相愛着罷了。
那夜的親吻異樣甜蜜——
到於今還甜蜜——
哦！到死後還甜蜜呵！

爹媽替我們議婚，
據瞎算命的說，
又是八字不對，
又是生肖不合，
於是我們失望了：

我底爹媽替我定了我不愛的伊；
你底爹媽替你許了你不愛的他。

* *

現在我孤旅在西湖，
歸家會見你，
不能與你親熱了；
要講些做作的禮節，
不能像從前那樣不避嫌疑了。
回想起來，
多麼悲傷呀！

* *

你來信悽慘地說：

『我倆不能實現前約了！
我願爲你終身不嫁，
去做尼姑修修行，
來世再與你成雙罷。』
我雖不贊成你底主張，
但是無法，只好忍着了！

＊　＊

我常走到之江邊：
江水怎會這樣多呢？
我嘗嘗他底滋味，
知道這是你寄給我的淚了。
你底淚不像蜜糖那般甜，

只像黃連那般苦！
我盡量飲你底淚，
你底淚就深深吻着我底心。
我看着水中的魚兒，
羨慕他們兩兩雙雙地，
我願和你變成一對比目魚，
自自在在地游嬉。
但是，僅僅一個願望罷了！

（一九二一，十二，二六。）

愉快之歌

宇宙萬有都被
冷酷的黑夜封鎖着了。
帶些寒意的涼風，
續續地吹來，
但總冷不了我熱烈的情餘呵！
園底這邊有美麗的花，
已被夜幕鎖閉不能看見了；
但是溫馨的花香，
卻依然護着我。
呵！只有那窗內亮着燈光，

蕙的風

我可以看見——
看見伊坐在伊母親身旁。
——伊把我底眼睛捉住了。
他們卻不允許我，
逼我底眼睛脫離了伊。
呵！伊香甜的歌聲
由窗裏瀉出了：
「愛人啊！
我用詩的網將你擒住，
藏在我底情海裏了，
我們相戀於詩的愛裏呵！
哦！薇娜絲，（註）

16

懇摯地謝謝你——
謝謝你賜給我倆的惠愛：
我倆流心府的感淚，
給你做謝禮罷。
我倆彈心琴的音樂，
給你做謝禮罷。
我倆唱愉快之歌呵！
唱呵！唱呵！
愉快地唱呵！」

※ ※

伊唱得怎樣地宛轉柔嫩啊！
伊底歌擁抱着我底心靈，

風的蕙

我浸入歌聲浴沐着。
我苦惱憂鬱的一切，
都被伊底歌聲洗淨了。
我全體的神經纖維，
都活流着生之樂趣呵！
優美，和愛，快樂的聲波，
充滿着天宇了，
空中那一顆星也聽得微笑了。
我不自禁地就乘與和着伊——
『愛人呵！
我用詩的網將你擒住，
藏在我底情海裏了，

我們相戀於詩的愛裏呵！
哦！薇娜絲，
戀摯地謝謝你——
謝謝你賜給我倆的惠愛：
我倆流心府的感淚，
給你做謝禮罷。
我倆彈心琴的音樂，
給你做謝禮罷；
我倆唱愉快之歌呵！
唱呵！唱呵！
愉快地唱呵！」

※　※

我倆又合奏着『關唯』，
合奏着『早晚的情人』。
我底歌吻着伊，
伊底歌吻着我，
歌得一切都融合，
我和伊底靈魂也融合了，——
伊融在了我裏，
我融在了伊裏。
呀！伊屋內的燈光熄了，
伊底窗門關閉了，
爹媽不許伊再唱了。
雖然燈光熄了，

我倆底心之光却還燒着亮着在呵！
窗門總隔不斷精神的交通哪。
我倆終是神愛的蜜侶呢！
我倆只得唱着只容心悟不容耳聽的歌——，
伊唱着，我和着——
『愛人呵！
我用詩的網將你擒住，
藏在我底情海裏了，
我們相戀於詩的愛裏呵！
哦！薇娜絲，
懇摯地謝謝你——
謝謝你賜給我倆的惠愛：

蕙的風

我倆流心府的感淚，
給你做謝禮罷。
我倆彈心琴的音樂，
給你做謝禮罷。
我倆唱愉快之歌呵！
唱呵！唱呵！
愉快地唱呵！」

（一九二一，八，二九。）

註：Venus

謝絕

伊底情絲和我的，
織成快樂的幕了；
把牠當遮欄，
謝絕人間的苦惱。

（一九二一，十二，八。）

海濱

數不盡的淡黃砂，
平斜斜地攤着。
我在砂上踱着，
砂在我底脚背上鬆鬆地蓋着。
我把伊們當被褥，
躺着，想睡不睡地裝睡着。
砂兒細軟如『砂發』
我睡得說不出地舒服。
哦！我是睡在自然之慈母底搖籃裏，
伊還唱着睡眠之歌慰我安睡呢！

聽呀！
溅溅潺潺澎澎湃湃和和曷曷極複雜的浪聲洋
洋地裝滿了我底耳鼓了——那不是自然底美妙
的音樂？

※　※

砂上有美麗的石塊與螺殼，
我弄着伊們遊戲。
望去水天一片，
誰也分不出那是天那是水。
湧——湧——湧——
海浪一陣陣起起伏伏地湧着又退着。
太陽要歸去了；

雲沒有遮住他時，
他還用紅橙橙的臉兒回頭瞧着。
他想捉住浪頭，
但是終於捉不住喲！

＊　＊

浪兒張開他底手腕，
一疊一疊滾滾地擁擠着，
摟着砂兒怪親密地吻着。
剛剛吻了一下，
却被風推他回去了。
他不忍去而去，
似乎怒吼起來了。

呀！他又剛愎愎地勢洶洶地趕來了！
他抱着那靠近砂邊的小石塔，
更親密地用力接吻了。
他爬上那小石塔了。
雪花似的浪花碎了，——噴散着。
笑了，他快樂得大聲笑了。
但是風又把他推回去了。
海浪呀！
你歇歇罷！
你已經留給伊了——
你底愛的痕跡統統留給伊了。
你如此永續地忙着，

也不覺得倦麼？

（二一，四，二四，午後四時於舟山羣島之普陀島。）

過伊家門外

我冒犯了人們的指謫，
一步一回頭地瞟我意中人；
我怎樣欣慰而膽寒呵。

（一九二二，一，八。）

蕙的風

忠愛

我曾允許贈那小姑娘一朵夜合花，
今天特意帶了花去找伊；
豈料我要找的人已無踪影了，
另外一位小姑娘幾番向我討，
但我終於不願給與伊；
我硬起心腸任我底花萎了！

（一九二二，四，二三，于湖州。）

伊底眼

伊底眼是溫暖的太陽；
不然，何以伊一望着我，
我受了凍的心就熱了呢？

※　※

伊底眼是解結的剪刀；
不然，何以伊一瞧着我，
我被鐃銬的靈魂就自由了呢？

※　※

伊底眼是快樂的鑰匙；
不然，何以伊一瞅着我，

我就住在樂園裏了呢？
伊底眼變成憂愁的引火線了；
不然，何以伊一盯着我，
我就沉溺在愁海裏了呢？

（一九二二、六、四。）

太陽和月亮的情愛

從前太陽和月亮極親愛，
他倆赤條條地一塊兒遊嬉。
人們用惡意的眼劣視他倆，
謾罵他倆怎樣淫穢。
月亮非常害羞，
伊嬌嫩的心受不起這般侮辱，
伊忍心和伊至愛的情郎分別了。
太陽失了伊就發狂了：
他恨極了，憤怒地射着，
想把人們底眼睛射瞎，

——無奈辦不到呵。

* *

於今他倆想相會，
只願他仍舊同伴快樂。
他追趕伊，
伊追趕他，
終久不能相遇。
他煩惱着焦燥着。
伊雖然鎮定着伊幽嫻的神態，
但悲涼的憂怨總是
霧氣似地迷滿了天宇。

* *

他倆底傷心，
無限的傷心呵！

（一九二二，九，二〇）

換心

伊智慧的眼波逗溜着覷我，
伊要我猜猜伊底眼做的什麼意思。
『叫我替你攏頭髮麼？』
伊抿嘴笑着搖搖頭。
『叫我擁抱你，接吻你麼？
叫我替你擷勿忘草麼？
叫我去⋯⋯⋯⋯』
伊開懷地搶着搖手說，
『都不是，都不是。』
『那麼命令我做什麼呢？

我沒你那般能幹會猜呵！」
伊笑得不可遏止，
忸怩地伏在我胸前，
雙手籠着我底頸，
晶瑩的眼看進我底眼說：
『要你和我換一顆心呵！』

（一九二二，六，四。）

只得

話鋒又談到我倆自身了：
伊百無聊賴的眼光疑難地看着我，
和我底眼光接着親熱了一回，
又忸怩地低下視線去。
沉默了一會伊無望的聲調說：
『我嗎？我只得……………
唉！你將見我做伍家的鬼！』
酸苦的淚比話先流了。

（一九二二，六，十一）

一對戀人

「我們靠同心相愛生活着，
世態却擊碎我們底心了。
迫得我們絕了前路，
萬千熱望都沉埋了。
悲苦的淚呀！
情愛的泉呀！
怎不像江河般洶湧，
把滿眼的罪惡洗個乾淨？」

＊　＊

懸崖絕壁間一對戀人，

這麼悽愴地哀吟。
一個婉淑的少女，
一個英俊的壯丁。
他們精赤着身體，
親親切切地厮並。
旣不願退回山脚，
又不能躍上山巔。

※ ※

呀！他們身旁的毒蛇惡獸張口了，
叫他們怎能夠逃生？
他們用力地緊緊抱着，
盡情地做了最後的接吻，

戀戀地向四方看看，
無可奈何地互摟着墮下山谷了。
猶有孃孃的末路的哀聲：
『世界呵！請原諒罷，
無奈不能再盡我們底責任！』

附言：修人愛我愛他底精美的西洋畫冊，他就把他愛的給我愛了。有幾幀令我深思，其中一幀的深思的結果就是這首詩。

（一九二二，四，一四。）

互贈

小鳥宛轉轉林中在唱，
『新人鐘』紅灼灼山上在開。
蕙風扶送着我們，
沿灣曲曲的草路遊上去。
你在山花裏擷了一根相思草，
你盛你底愛在伊裏面，
笑着把伊贈給我，
虔誠地插伊我肩上；
我極情願地心領了，
我覺得眞榮幸呵！

我曾把我底情愛贈給人們，
但人們都不懂得收受呵；
於今和盤贈給你，
想你也很歡喜的，
你請受了罷。

（一九二二，四，二。）

註：我們績溪俗語，呌「躑躅花」爲「新人鐘」。

非心願的要求

願你不要那般待我，
這是不得已的，
因你已被他霸佔了。
我們別無什麼，
只是光明磊落眞誠懇摯的朋友；
但他總抱着無謂的疑團呢。
他不能了解我們，
這是怎樣可憎的隔膜呀！
你給我的信——
裏面還擱着你底眞心——

已被他妬恨地撕破了，
你送入我底心靈的
哭出來，訴出來，
不知所以然地出來的
你底厭世之悲聲，
把我沉溺在淒涼裏了。
他兇殘地怨責你，
不許你對我訴衷曲，
他冷酷地刻薄我，
我實難堪這不幸的遭際呀！
因你已被他霸佔了，
這是不得已的，

願你不要那般待我——
一定的，
一定不要呀！

（一九二一，芙蓉萎時，於西湖，初陽台。）

禱告

我每夜臨睡時，
跪向掛在帳上的『白蓮圖』說：
白蓮姊姊啊！
當我夢中和我底愛人歡會時，
請你吐些清香薰着我倆罷。

（三一，十一，廿二，於杭上。）

七月的風

軟溫溫的七月風，
流洗了我底心靈，
吹動了我底心弦，
激起了我底心波。
但是，——
可曾流洗了你底心靈？
可曾吹動了你底心弦？
可曾激起了你底心波？

＊　＊

我唱的情歌，

你底心諒該聽得懂罷？
只是你勿再硬要關閉了你底心花呵！
我底愛潮將湧着流入你底情海，
振蕩起你底愛的波濤喲！

（一九二一，七，於一師校操場。）

戀愛的甜蜜

琴聲戀着紅葉，
親了個永久甜蜜的嘴，
他倆心心相許，
情願做終身伴侶。

＊　＊

老樹枝，
不肯讓伊
自由地嫁給琴聲。

＊　＊

幸虧伊不守教訓，

終於脫離了樹枝，
和琴聲互相握抱；
翩翩地乘着秋風，
飄上青天去了。

＊　＊

新娘和新郎
高興得合唱起來，
韻調無限諧和：
『呵！祝福我們，
甜蜜的戀愛，
愉快的結婚啊！』

（一九二一，十，十七。）

星

耀耀地望着我
那顆星的眼睛。
伊雖遠在天頂，
伊底靈光却已照澈我底心。
怎樣悅目呀，伊是！
伊笑着伴我在這靜夜，
能慰我底孤寂。
忽然騰起一片黑雲，
深深地把伊遮了。
可愛的星光，

再也看不見了——
再也看不見了。
然而伊那愛的光，
終於印在我底心裏。

（一九二一，六。）

白雲

（一）

假如和愛人變成白雲，
自由地飄蕩于長空，
是何等有趣啊！

（二）

流泉底微妙音韻，
像煞愛人底私語；
是假着伊底情郎小石兒慰問罷？

（一九二一，十二，二五，自之江學校至虎跑途中。）

芭蕉姑娘

芭蕉姑娘呀，
夏夜在此納涼的那人兒呢？

（一九二一，十一，二四。）

笑笑

伊香甜的笑，
沁入我底心，
我也想跟伊笑笑呵。

（一九二一，十一，二四。）

問伊

你底酸淚裏，
只照着作難的我，
爲何不照個愉快的我呢？

（一九二二，一，九。）

我都不願犧牲喲

伊鎖成一字愁眉，
沉溺在憂悶之海裏。
伊低頭懶洋洋地弄着衣角，
我望着伊那雙
　明慧晶瑩含情的眼睛，
看着伊那由伊靈魂裏出來的甘露，
——我想飲了他。

＊　　＊

伊是個呀——愛之女神！
我怎忍得住

伊那呈愛的表情的面龐？
伊是我靈魂底安慰者，
伊是我生命底寄託者，
我沒有了伊，
恐怕再也活不了了！

＊　＊

我無論那一刻都愛戀着伊——
心底裏流露着極高度的愛，愛戀着伊。
我很願望伊如我愛伊般愛我；
但我不該想伊愛我，
我不敢想伊愛我！

＊　＊

我還有一個伊——
僅是爹媽底媳婦——
我和伊是不自然地牽合着，
爹媽不允我割離伊。
我是微弱無力者！
我縱有力……
那末，父底愛母底愛永沉沒了！

※　※

『寧可犧牲老輩，
不當犧牲少年底將來。』
這是大哲學家示給我的話，
恕我不能這樣做到喲！

呀！我犧牲那個呢？
——他們底愛麼？
——伊底愛麼？
唉！我都不願犧牲喲！
我都不願犧牲喲！

（一九二一，八。）

月夜

我緩步在月光裏，
纍人的伊使我戀着再戀着，不間斷地。
玉潔的月呵！
沒有那一個不默默地讚美你。
你能照透萬象，
爲何不將伊底影
照來以慰我懷呢？

※　　※

伊底眼看入我底眼，
連羞帶笑地說，

『你贈我你做的那個，
我非常珍愛。』
當我在此遇見伊的時候，
這是快慰不過的相會啊！

＊　＊

這遊木是伊常走的，
這薔薇花下是伊常站的，
這草地是伊和小孩玩耍的。
這些都變成我所愛的了——
我愛走伊所走的遊木，
愛站伊所站的薔薇花下，
愛玩伊所玩的草地。

我凄涼地對着這些，
恍惚看見伊在遊木上走，
　在薔薇花下站，
　　在草地上坐。
但待我走過去，
却又看不見伊呀！
那裏看得見伊呀！

※　※

我時時注意着伊——
伊婉淑的姿態，
伊嬌嫩的言笑，
伊輕妙的步聲，

都給我玩味純熟了。

　＊　＊

伊底神秘都用伊底
含情的眼睛訴說：
伊每一『回頭覷』，
每一『凝眸送』，
都能使我心服。
啊！伊底眼睛是怎樣柔麗啊！
伊底命令彷彿聖旨，
我怎耐不唯命是從呢！

　＊　＊

我那次關不住了，

就寫封愛的結晶的信給伊。
但我不敢寄去，
怕被外人看見了；
不過由我底左眼寄給右眼看，
這右眼就是代替伊了。
唉！假使，或眞使，
爹媽們允許了，
那麼，我只藉此而樂生啊！

（二一，十，八。）

別情

愛我的我底你呵，
溫柔到比柔還柔的你呵！
你底丰韻是怎樣地娟逸，
怎樣地——說不出呵。
世界上沒有什麼能形容你了。

※ ※

你知道我在接吻你贈我的詩麼？
知道我把你底詩咬了幾句吃到心裏了麼？
你從詩中送我的情愛，
更醉得我醺醺然了。

我昨夜夢着和你親嘴，
甜蜜不過的嘴呵！
醒來却沒有你底嘴了；
望你把你夢中的那花苞似的嘴寄來罷。

* *

我昨夜夢中得着你一封信，
信中的字看不明白，
只隱隱約約有些『愛』字；
望你把夢中的信重寫清楚罷。

* *

我睡覺時，看見帳頂上有個你；

我飲茶時，看見杯中有個你；
我看書時，看不見書中的字，只見個你；
我上課時，看不見教師在黑板上畫的算式，
只見個你；

……………………

你為甚東躲西藏，
只給我看見不給我捉住呢？

＊　＊

你爹這幾天在家不在家？
我時時想來看你，
但我怕嘗這樣別離滋味；
我至於不敢和你相見了，

見了再用什麼法別離呢？
不，別離雖是苦痛，
但是甘美的苦痛呵！
我叫我底魂今夜來看看你，
請你預備迎接着罷。

（一九二二，四。）

窗外一瞥

沉寂的閨房裏，
小姐無聊地弄着七巧圖。
伊偶然隨意向窗外瞥了瞥，
一個失意的青年正踽踽走過，——
正是幼時和伊相識過的他——
伊底魂跳出窗外偕他去了。
伊漸漸低頭尋思，
想到不自由的自己底身子：
慘白的面上掛着悽切的淚了。

（一九二二，六，二。）

一片竹葉兒

溪邊的小石竹，
恬靜地微笑着。
我順手扯了一片竹葉兒，
愛護地含在嘴裏；
又怕咬壞了伊，
重新插伊在頭髮裏。
可恨沒有插緊，
一陣風把伊吹落水田去了。
我想去拾伊回來，
怎奈滿水田的濘泥呢？

大概慣例如此罷——
牛兒來犂田的時候，
蠢呆地踏伊一脚，
於是伊埋沒在汚泥裏，
永世，永世不能見天日了。
或者呵，
或者有善的風從泥裏吹伊起來罷。
呀！倘能從泥裏吹伊起來呵！

（一九二二，三，十一。）

拆散

儘徘徊在池畔，
終尋不着呵——
曾印在池面的雙雙的我倆底影。
只有孤孤的今天的我的了！

（一九二二，四，十一。）

蝶兒與玫瑰

怪忙怪快活的蝶兒，
欵欵地飛在玫瑰花上，
他纖細的脚差不多站上花瓣了，
那含妬意的風從容吹來，
玫瑰花就被搖動着了。

＊　＊

他不住高高低低地飛，
從一花飛到一花；
才飛到花下，
又飛到花上。

蕙的風

後來一飛飛到初開的花裏，
他和花蕊接吻十分和暢。
他僅僅釀了少許花汁，
那無情的風硬逼他倆分手了。

※　※

風更是暴怒了，
摧着花兒碎碎紛紛地飄零。
蝶兒禁不起風打，
但他仍要依依纏着被侮辱的花片兒眼巴巴地
瞧着。
他越發栩栩地飛得忙煞了。

（一九二〇，十二，十四。）

76

月月紅

月月紅在風中顫抖，
我底心也伴着伊顫抖了。

（一九二二，一，九。）

在相思裏

（七首）

（一）

我寄給伊無數個相思，
只是被阻礙了寄不到頭呵。

（二）

偶然想到伊唱的歌曲，
耳裏便響着醉人的歌聲了。

（三）

不息地地燃燒着的相思呵。

（四）

伊那嬌波一轉，

伊底春意就濕潤了我了。

（五）

那怕禮教的圈怎樣套得緊，
不羈的愛情總不會規規矩矩呀；

（六）

於今不比從前呀——
夜夜縈繞着伊的，
僅僅是我自由的夢魂兒了。

（七）

伊底嬌嗔裏，
醞蓄着親和的微笑呢。

（一九二二，一，八，——二，七。）

愛的波

親愛的！
我浮在你溫和的愛的波上了，
讓我洗個澡罷。

（一九二二，四，十一。）

慰花

「花呀花呀別怕罷，」
我慰着暴風蠻雨裏哭了的花，
「花呀花呀別怕罷。」

（一九二二，三，二六。）

耳福

謝謝你音樂的鶯鶯！
我底耳不像從前那樣餓了。

（一九二二，三，二六。）

第二輯

願望

黑夜的花園裏，
蒙蔽着嚴寒的死氣。
含苞欲放的你，
要放也無從放起。
但人們都渴慕你呵！
誰能不欽佩你呢？

愛情很懇求地，
在敲着你底門。
願明天太陽早早照耀，

光明的鑰匙開開你底門；
將你蘊藏的美愛，
撒遍人們底心田，
去燃燒着人人的愛情。

＊　＊

那時候願你——
你是薇娜絲阿——
願你用愛庇護一切，
願你用美滋育萬有，
願你把世界所有的，
統統愛化了，美化了。
人們將怎樣狂放地喜慰啊！

風的蕊

（十年，芙蓉開時，於一師校校園之芙蓉花下。）

樂園

在詩的早晨，天上染着玫瑰色的晨曦，空中蕩漾着愛的氣息，地上鋪着春的歡樂和喜笑。男女女孩們，都從花瓣草葉織的床上起來了。他們飲了羣芳髓，吃了秘情果，大家開始遊戲。遊戲就是他們底工作——他們底遊戲是有詩的意味的。

他們沒有衣裳遮飾，只用一條稀薄的湖色輕紗披着。他們底溫柔的潔白而微現桃紅的情趣的身體完全裸露着。

他們清潤地宛轉地唱歌，聲音嫋嫋地在空中

飛揚；不但聽起來悅耳，就是嗅起來也香馥馥地怪有味。 他們一對對地舞蹈，神情瀟灑地跳躍着，輕飄地波動着，蝴蝶般翩翻地飛舞着，——我底靈魂也跟着他們飛舞上天去了。

今天玉蜻蜓和忘憂草最愉快。 他們倆歌舞之後，兩口兒手牽手臂挽臂地走到碧翠的草茵上坐着。 伊嬌憨地沉吟了一下，歛情的眼睛望着他情切切地說：『你已經充滿在我心裏了，我說不出地愛你呵！ 我願和你兩人的人格融合，結成一個呵；你能允我底要求麼？』他很高興地趕快回答伊：『我也正要這麼要求你呢。 你對我的恰恰是我想對你說的呵。』

伊樂得什麼也似的，不期然妍倩地微笑着了。他倆情投意合，緊抱着盡情地甜蜜地接吻。於是，兩個靈魂併作一個了，兩個豐潤酥軟的肉體親熱地貼着合作一個了。他倆就是這樣自由而自然地結婚了。

這裏佈滿了幸福，決沒有可憂恨的不祥的命運。這裏只有美好的春天；沒有暴弱的夏天，刻薄的秋天，和嚴酷的冬天。這裏的人們永久是小孩子，他們彼此互相親切和愛；沒有生產和死亡，也不見欺詐，嫉妬，爭鬭的事情。

總之，這地方無一樣不適意的。自古至今未曾有一個誰到過這裏。因爲人

顯太愚蠢，自己瞞了自己底眼睛，所以找不到
開這裏的門的鑰匙。

（一九二三，五。）

情路

可愛的小孩兒，
採了幾些草花，
手裏揑一枝，
頭上戴一朶。
小圓臉兒爛縵地微笑着，
和花兒一樣地微笑着。
圍着我溶化了我的柔和的微笑呵！
可惜伊臉上塗了些白粉，
把笑容葬去一半了。

＊　＊

我底脚不能停步，
因爲今天計畫的遊程。
頻頻地回頭，
殷殷地眼覷：
伊還贈我最後的一笑呢，
再回顧時，
看不見那溫愛的笑容了。
於是我低頭癡凝着了。

（一九二二，四，二。）

悲哀的青年

漠漠的海邊上，
青年在那裏徬徨躑躅。
看不透的汪洋，
茫茫無去路！

※　　※

他雖生在熱鬧的人間，
但何會有他底伴侶呢？
他只是孤獨呵，
他只是孤獨呵！
他尋遍了人間，

終尋不着光尋不着花尋不着愛睬。

※　※

他忍不過看這般的世界，
他想高高飛上天；
人們却阻壓他，
誘惑他在下界流連。
他底臉在人間笑，
他底心在空中啼。
現在的環境令他哀哭，
只有希望中的將來引他强笑，

※　※

他想任意狂遊，

但怎能如他願呢？
爹媽底慈愛圍着他，
爹媽底情絲細着他，
把他鐃銬在他們底心裏。
他們雖是愛他，
却不能了解他；
這樣愚笨的愛意，
儘夠斲喪他底前途了。

※　※

漠漠的海邊上，
青年在那裏徬徨躑躅。
看不透的汪洋，

茫茫無去路！

（二二，三，二二。）

我願

我願把人間的心，
一個個都聚攏來，
共總鎔成了一個；
像月亮般掛在清清的天上，
給大家看個明明白白。

*　　*

我願把人間的心，
一個個都聚攏來，
用仁愛的日光洗潔了；
重新送還給人們，

使誤解從此消散了。

（一九二三，二，八。）

母親

沒有了兒子的母親，
悶在悽慘的家裏。
伊想起伊那玲瓏的死去的兒子，
就不止地滴呀滴地流淚了。

＊　＊

隣家的小孩笑嬉嬉地走來，
天眞的神情現在伊眼前，
伊底愁苦頓時消散了。
伊親親熱熱地摟着他親吻，
親了又親，

伊臉上現出多年不曾有過的笑容了。
小孩撒嬌地跑去了，
伊暫時的快樂也跟着跑掉了。

※ ※

伊無聊地開開塵封的箱，
抱起伊底兒從前玩的耍孩兒；
伊和牠親吻，
正如和伊底兒一樣。
牠底面上尙存伊底兒親吻的痕迹，
伊覺得還有伊底兒底吻香呢。

※ ※

伊將待伊底兒的情待牠，

高興地和牠遊玩，
親切地和牠談話：
「我底兒呵！
我愛你，愛你……」

（一九二二，三，二二。）

熱血

我底興奮的熱血，
痛快地澆那枯槁的薔薇；
牠就從死裏再生，
喜笑地開着美妙的花了。

*

我底興奮的熱血，
痛快地澆那凍結的冰山；
牠就由寒冷裏溫暖轉來，
與高采烈地做着愉快的跳舞了。

*

我底興奮的熱血，
痛快地澆那死了的人心；
但牠不由惡毒變做善良，
也不欣欣地生長情愛的芽根！
（一九二二，二，十三。）

被殘的萌芽

——弔私生子——

一粒上帝下的種子，
給人間傷害了！
你所奉的旨意，
不能如願施行了。
哦！何止呢？
何止你呢？
數不清的千千萬，
算不明的萬萬千呀！

你爹媽底純潔的愛，
好好造成了你，
你就從姆媽底心上
漸漸萌芽起來了。
你是他們底心肝，
他們怎忍拋棄你、
無奈人間惡毒的詛咒，
他們只得含着無可挽救的淚，
很不情願地殺死你。
你怨他們麼？
別怨罷。
還不是人間底罪孽麼？

人們不算你是人，
不承認你有爹媽，
不許你爹媽生你；
並且——
你爹媽也不敢說
你是他們生的。
你沒人管的嬰兒呀！
你眞的沒有爹媽麽？
不問他怎樣，
這世界該有你底爹媽罷。
你終是世界一個兒子罷。

蕙的風

* *

你那玲瓏的神態裏，
淺淺微微的笑渦裏，
薔薇花苞似的嘴唇裏，
豐滿的小圓臉裏，
光光的星眼裏，
纖纖的絲髮裏，
肥嫩嫩的胸裏，
藕彎彎的手臂裏，
白晶晶的脚腿裏，
你完全的一切裏，
都潛藏着你未來的

享不盡的光榮的快樂。
但是都同輕烟浮影般散了，
捉不住挽不回了。
就是冥冥的現世，
也夠悶死你呀！

※ ※

愛你的你愛的爹媽。
何嘗不這般願望——
喂你用甘露的乳，
眠你用慈愛的懷，
育你用高尚的人格，
教你唱愉快的歌，

見你花苗般長了——
何嘗不這般願望？
只是這願望不能願望，
終變成失望了！

＊　＊

算了罷！
你索性如此罷。
何須留戀呢？
倘然你跟着前人底脚踪兒，
懵懵懂懂地活着，
糊糊塗塗地鬧着，
混混沌沌地死了，

還又何必呢？
不，不是——
你自己決不會上那故轍；
即使你做了，
也是環境逼你的。

* *

也許你將來
在世界的花園中，
開上燦燦爛爛的
光彩耀天的花：
把醜醜惡惡的，
點綴成錦錦繡繡的；

把臭臭濁濁的，
熏釀成香香噴噴的；
把擾擾攘攘的，
感化成親親愛愛的。
那時上帝也微笑讚揚你：
「這麽遵我底吩咐，
才是我寵愛的兒子了。」
奈何人間不容你，
硬把你擠到世界以外去了！

（一九二一，十二，四。）

荷葉上一滴露珠

碧翠的荷葉，、
捧托着一滴晶瑩的露珠，
自在地凝神着
在這悠然雅緻的池面。
有小鳥底歡愉讚美歌
送出自池邊的樹上：
「啊！潔淨的露珠，
你這麼銀樣的光明啊！
你呀，是愛的精髓啊！
荷葉忠誠地愛護你，

你們好一對美樂的啊！
但願你變化作許多許多滴，
去傳播給每個人飲罷。
那麼可以開些愛的花，
結些愛的果了。」

* *

荷葉抖顫在微風裏，
露珠優游地滾着。
暴雨是毫不放鬆地打着，
給池水擾得汚濁了；
伊終於墮在水裏，
他敗得沒氣力了，

也難堪地倒在水裏。
這是小鳥的悲哀的輓歌了：
「神僅造了這一滴愛的精髓，
不仁的惡魔竟給摧殘了喲！
但是露珠呀，
你忍耐着罷！
你底本質依舊是
銀樣的光明啊！
我去懇求神殺了惡魔，
又造許多如你一樣的，
那時你們再去傳播給每個人飲罷。
愛的花終要開的啊！

愛的果終要結的啊！」

（一九二一，十，十六。）

於是詩人笑了

微笑的晨光，
像詩一樣地流着，
蜜蜜地吻着渾大的世界，
吻着晨興的年青的詩人；
一切都蘊釀着笑意，
含着超越的清快。
於是詩人笑了。

※ ※

他環視各各都凝着
平和與安寧。

樂趣沸在他底心頭，
忍不住地經過他底唇邊和腦間，
眼裏和眉上，
從容地湧現出來。

※　※

詩人隨便什麼都忘着了，
這是再豐美沒有的慰藉啊！
世界的清快更超越了，
於是他又隨意地笑了。

（一九二一，十，十六。）

潮

潮，騰，翻騰，騰起，
爬，爬，爬上，上進，
滾滾，湧湧，噴，
跳，跳，跳，跳舞，
起勁，起，起勁！

（一九二二，一，五。）

天亮之前

自從黑夜趕走了太陽，
霸佔了一切，
於是都伏於黑夜了——
至今沉沉如死地夢着。

＊　　＊

晨雞開始鳴了，
驚得一個醒了。
他覺得孤單無侶，
想去叫醒其餘的；
無如大家都有氣沒力地，

還說他討厭呢！
他有了不可耐的孤寂。
可是——
終於獨身跳起，
生氣勃勃地，
拼命喚起了幾些同伴。

※ ※

他們感着黑暗的痛苦，
各各默默地想着：
太陽呢？太陽呢？
怎麽不來親熱我們呀？
舊的太陽挽不回了，

又何必挽回呢？
我們只要歡迎着，
歡迎新的太陽早些光降；
這有莫大的希望呵！

＊　　＊

最初的一線曙光，
躲躲藏藏地窺了。
衆生底心沸着，
鼓着雄壯的勇氣，
狂熱地跳舞着，
起勁地唱歌催太陽起身：
我們底生活苦悶，

我們底生活枯澀，
你撒給我們和愛的光，
我們底生命才得復活呵。
但還有許多兄弟呢，
他們底不幸就是我們底不幸呀！
親愛的父親呀！
升罷！升罷！
快快快快地升罷！
多多多多地給些光呵！

（一九二一，十二，二三。）

誰料這裏開了鮮豔的花呢

使人不經意的嫩芽，
生在荒廢的瓦礫裏。
人們無所顧惜地
拋棄垃圾唾涕在他上面，
幾乎毀滅了他底生之力。

＊　＊

他被壓得疲困極了，
身上遍塗了污穢的痕迹。
但他只是拼命地，
從亂堆裏努力伸出。

後來雨賜洗禮給他，
洗得他潔淨了。
太陽賜他生命之光，
他就笑嘻嘻地
開着香美的花了。
『誰料這裏開了鮮豔的花呢？』
人們欣然注意着說。

（二一，十，十六。）

孤傲的小草（六首）

（一）

孤傲的小草，
雖然給欺侮了，
但孤傲仍舊存在。

（二）

用熱淚洒活暴徒底良心呀！

（三）

不和善的蚊子呀，
請饒赦我罷，
我們都是伴侶呢。

（四）

你喜歡作惡，
只得作你的罷；
請勿當做遺產傳給子孫呀！

（五）

小鳥從夜那邊逃到日這邊，
徼幸地說，『好了，得其所哉！』

（六）

小鳥樂不可支地
跳躍着生命的韻律呵。

（一九二一，十一，二四——十二，二五。）

春底話

春飛到我耳邊低聲道，
「起罷，我來了！」

（一九二二，新年第一日。）

蓓蕾

蓓蕾們密說着，
商議了一會，說：
『不相干，
開——仍舊要開；
只要囑咐他們，
不許再來踐踏好了。』

（一九二二，一，五。）

醒後的悲哀

在黑暗空寂的夜裏，
我從悲而樂的夢裏醒來了；
只戀戀地想再夢着；
但夢底門緊緊閉着，
終擠不進可愛的夢境了。

* *

親愛的爹媽呀！
我夢裏回家，
你們喜得眼淚都笑了。
夢中那一聲親熱的『安兒，』

我也辨不清是甜是苦，
我只化在那親熱的呼聲裏了。
愛敬的女郎呀！
你夢裏吐出你底心的聲，
我完全能體貼諒解呀！
爹媽要我們做的，
都不是我們願做的；
這只是無法罷，
不能做我們願做的呀！

＊　＊

無端的亂想，
惹起無限悲哀。

蕙的風

縷縷纏綿的酸意，
襲得我好難堪呀！
思慮的熱淚不願揩去，
聽其自然地洗着我底臉。

※　※

什麼都看不見，
似乎暗中盡埋藏着死的恐怖。
渺渺無聲的隱密的聲，
朦朧着我底全身，
明明告訴我人生底渺茫呀！
我困陷在死的恐怖裏呢。
誰又能逃避死的恐怖呀！

鐘擺悠忽地响着，
這是時間底步聲，
毫不留戀地只顧跑去；
我底生命就是這麼一秒一秒地截去了。
時間監督着我，
不知為什麼地走無限的旅路呀！

我索透人生的確是沒趣，
只有無路的惶悚罷了。
命運呀！
你居然不客氣地牽制我，

我只得無可奈何地憑你審判罷！

＊　　＊

希望送我虛幻的快樂，
誘得我興奮地趕去。
我醉在希望底懷裏，
癡信他是要實現的呢！

（一九二一，十一，六，於枕上。）

孤苦的小和尚

玄空陰沉的廟宇，
排放着許多莊嚴的神像。
我探步進去，
周身就浹了冷酷的恐怖。

※　※

廟裏一個小和尚，
我問得他剛十七歲，
他被賣在這裏十多年了，
生他的母親和故鄉他都不知道。
他從幼聽見人說，

那廟後的石塔是他底父親，
塔旁的大樹是他底母親。

※　※

他只有痴痴的眼光，
瘦弱的身體，
憂鬱的面容，
倦懶的态態。
但因了他那未盡埋沒的餘殘天眞，
可以看得出他是秀雅，
他是美妙，
他是伶俐，
他是活潑的年少。

＊　＊

婦人在神前叩頭，
他喃喃地念着經，
却又用羡慕的神態和希求的眼色偷對着伊。
婦人禱畢去了，
我憐惜地望着他：
『你孤寂苦惱麼？
誰給你嘗的？
你情願麼？
呵！一個女子，恩愛的伴侶，——你想麼？
可憐你一個無父母的孤苦者，
你思念父母麼？

哦哦！你父母在廟底後面。

但是，你底爸爸，那個石塔，也來擁抱你撫慰你麼？

你底姆媽，那根大樹，也來親吻你乳育你麼？

你可憐可愛的小兄弟呵？」

他一句正確的回答也沒有，

不過自卑地帶一點不敢的笑容。

〔一九二一，八，二八。〕

雪

光明之海呀！
波着銀的地球呀！
開着笑靨花的世界呀！
哦哦！雪神呀！
你要把一切萬有化成光明的銀波的笑靨花的麼？
你怎麼不把人們也化一化呢？
人們沒福份麼？
太齷齪了麼？

＊

＊

白到頂白頂白的白雪，
越白越晃人底眼光。
無邊白淨的大地，
給孩子們占了。
只有這些笑着笑靨的孩子，
浴着在光明的海裏，
在銀波的地球裏，
在笑靨花的世界裏，
他們滾的滾着雪球；
塑的塑着雪人；
印的印着雪面孔。
雪花——哦，笑靨花——

還紛紛地飄着在，
一朵朵一朵朵地裝着他們，
他們身上也開滿了笑靨花了，
波滿了銀了，
佈遍了光明了。

*　*

雪神罷工了，
天開雪眼了，
笑靨花融化成哭眼淚了。
——伊們底淚無一處不流着。
『晴天走了雨天路』——
來來往往的都這麼怨着。

那個袖手的站在那裏，
簷上的淚滴到他底頸裏，
他冰得頭縮到肩膊裏。
唉！再沒有笑靨花開着了！
再沒有光明照着了！
再沒有銀波着了！

（一九二一，二，三。）

小鳥

「好聽明伶俐的小鳥呵！
你們在此遊戲麼？
你們飛飛踅踅地，
是做的什麼跳舞喲？
你們吱吱咭咭地，
是唱的什麼歌曲喲？
那光澤華麗的羽毛，
是誰給你們的裝飾喲？
跳舞，唱歌，
是媽媽敎給你們的麼？」

蕙的風

小鳥繞着竹兒，
怪輕巧地飛去又飛回，
我看癡了我底心，
不住地這樣想問着。
緩緩的風吹來了，
竹兒搖搖擺擺起來。
枝上的小鳥站不住脚，
就翻了下來；
儘管站上去，
儘管是翻下來。
這隻從這枝飛到那枝，

那隻從那枝飛到這枝。
——終是這樣不歇地，
同時又極清脆地齊奏着自然節拍的讚美歌。

＊　＊

竹林裏雜着些開謝了的桃花，
臉兒羞得胭脂般紅着。
風來了，
花飛了，
片片花瓣飄飄地亂飛着；
隻隻小鳥追着花瓣也飄飄地亂飛着。

＊　＊

他們正在私語商量了。

他們又笑出暢快的笑了。
『小鳥啊！
你們好不自驕啊！
但是，我可以化作小鳥麼？
哦！我真個化成一隻小鳥了』
媽媽怕不在家等待了罷？
你們還不家去麼？
你們永遠在此遊戲麼？
可愛的聰明小鳥啊？』

（一九二一年春修改去年舊作）

白嶽紀遊

（一）

路上鋪遍綠油油的嫩草，
我不忍踏壞了伊，脚步輕輕地。
滿山的各色野花，
喜洋洋地擠到我眼前，
似乎怕我不看伊們底美麗。
那層層的綠葉爭把花兒遮着，
但花兒仍要從疏疏的葉層間伸出來瞧我，
陣陣的風引着陣陣奇香，
深深鑽進心靈裏。

呀！我疲了，我醉了！
我祇好在這花叢裏的草兒上坐坐了！

※　　※

我打算摘朵花兒，——
唉！不摘也罷！

（二）

這石塔縫裏流出些許山谷水，
流滿了這石塔底窩窩；
惹得我更加渴了。
我就飲了好些，——
從嘴裏一直氷窨到心裏，
氷得我好不涼爽！

喂！浩川呀！
慢慢地跑上山去，等等我罷！
我飲了自然之母親的乳了，
你也來飽飲一頓罷！

（三）

可是給我跑到珍珠簾了：
屋來高的巉岩凸凸地斜出；
岩下一個（C字形的碧水池；
岩上點點滴滴的水欲斷還連的斷線珍珠般綿綿地溜到池裏。
在這靜靜寂寂冷冷沉沉的岩裏，
只聽得玲瓏玎琤瓏玎的琴調子。

這樣悅耳的腔調，
若有蓄音器把他收起，
拿去給伊聽了，豈不歡喜！

（一九二一年春修改去年稿）

蟋蟀音樂師（五首）

（一）

蟋蟀音樂師呵！
我的生命乾枯了，
請你唱隻甜美的歌罷。

（二）

沒有主人管束的
自在地在空中遊遊的灰塵呵。

（三）

夜幕兜上心來，
愁鬱也偷偷地鑽來了。

但月色能替我洗滌嗎？

（四）

伸起罷，被踐踏的靈魂！

難道情願葬了這一生？

（五）

自古以來的人類，

這樣機械地活着，

再沒有比這厭倦的了！

（一九二二，二，八。）

心的堅城

願我底熱情，
掀起萬丈波濤，
洶湧着冲倒那堅城，
隔開人與人底心的堅城。

（一九二二，一，五。）

被損害的

被損害的鶯哥大詩人，
將絕氣的時候，
對着他底朋友哭告道：
犧牲了我不要緊的；
只願諸君以後千萬要防備那暴虐者，
好好地奮發你們青年的花蘤！

（一九二二，二，二。）

詩的人

假如我是個詩的人，
一個『詩』做成的人，
那末我願意踏遍世界，
經我踏遍的都變成詩的了。

（一九二二，四，二。）

蕙的風

第三輯

微笑的西湖

西湖，伊流着眼兒，
揚着眉兒，
渦着靨兒，
屏着脣兒，
樂融融地微笑了。
我和伊溫柔的微笑抱合，
我於是酥軟了，飄飄欲仙了。

＊　＊

在佈滿醜惡的世界上，
在久陷愁苦的我們裏，

那里尋得出這樣的笑呢？
所有的笑都沉沒海底了，
只有痛哭是驅逐不絕的呀！

*　　*

倦游的旅客呀，
幸福終是忘了你們了；
丟了那些，聽他去，
來領略伊和愛的微笑，
住在伊底微笑裏罷！

（一九二二，一，五。）

西湖雜詩（二十九首）

（一）

這一湖是西子底情淚麼？
是伊底芳春之乳麼？
伊底乳醉了世人底心罷？
伊底淚洗清了世界底污罷？
呵！讓我喝一些伊底乳呀！
讓我喝一些伊底淚呀！

（二）

山是親睨地擒着水，
水也親睨地擒着山。

湖兒，伊充滿熱烈的愛，
把湖心亭抱在心裏，
蕩漾着美的波浪，
與他不息地接吻着。
東風來看望伊，
柳兒拱拱手灣灣腰地招待着。

（三）

北高峯給我登上了，
凭欄極目四天空，
指點着這裏——這；
　那裏——那。
哪！白帶樣的之江灣在那兒。

之江之水呀！
你是何時出發于黃山呀？
你還存在着瀑布水的冰涼甜蜜的味兒麼？
還存在着溫泉的暖溫的熱度麼？
黃山底蘭蕙依舊着花了罷？
我底媽愁念我的淚兒，
已給你一齊帶了罷？⋯⋯⋯⋯

（四）

大地沉沉睡去，
夜是死一樣地寂靜。
D字樣的月兒獨自來拜訪。
和藹的臉對着湖兒說：

『好了，吾愛！
天公放我來見你了。』
伊笑盈盈地歡迎着；
沒有回答，只是輕輕地痴笑。
月兒把湖當浴盆，
跳在清水裏很快樂地洗浴。
惡狠狠的風來了；
黑漆漆的雲把他倆截開了。
湖水被吹激起來，
發出如泣如訴的凄切聲音了。

（五）

『吹面不寒楊柳風』——

柳兒懨懨懃懃地鞠躬着。
閒靜的田間的菜花謝了，
花瓣偷偷地落下——
落得滿地盡是黃金。
無一個聽得着伊們着地的聲音。
對對的蝶兒，
癡癡地看着落花，
兢兢地擔着心腸。
踏春的人只顧踏着，
伊們就被踏陷入汚泥了。

（六）

颯聲爬在樹上，

冠英靠着樹站着，
坐在他前面的是悔也和仰之，
倚着他們躺着的就是我。
我們都津津有味地談着——
眼望着美化了的天然的湖兒：
湖水清瑩澄澈，
宛然是一架明淨的玻璃鏡子。
放在施女神底粧台上，
好照伊那膩潤的嬌滴滴的容顏。
不意平空刮了一番風，
就吹破伊底鏡了。
呀！你不要吹呀！

伊要用來梳粧哪！

（七）

我親愛的父母，的姊妹，的朋友呵！
你們知道我正在湖上流覽嗎？
這景緻煞是美呢。
我眞個想把伊寄給你們玩賞；
無奈郵局不允我底情，
不能爲你們增眼福呵！

（八）

那船上一個小姑娘，
怕怯透過布帆的日光，
用一條粉紅花手巾，

蒙着伊粉紅的臉。
我幾乎要叫出來：
『不要蒙着罷，
你還不曾做新娘子呵！
哦！你要掩了你的羞麼？』

（九）

辛苦的轎夫搬運着上等人，
抬得汗流氣喘了。
沿路都是叫化子的悲痛之呼聲，
我底聽覺實在不忍領受呀！
上等人瞥也懶瞥他們一瞥，
只不過丟些銅錢罷了。

我探探袋裏還有幾個大，
不由得不掏給了他們。
我又問問自己底心：
這就算是你發慈善心麽？
就算是你救苦命麽？
你想用錢驅逐他們勦來擾你麽？
你想買他們勦做厭耳之聲麽？
他們明天又沒飯吃了，
你天天有的供給他們麽？
無量數的苦百姓，
你能去了他們個個底苦麽？
你肯犧牲你底必需—非猺餘—的一切麽？

——這一悶悶得我好不難過……
我底眼癡呆呆地起來了，
脚慢鈍鈍地起來了。

（十）

我們都「落湖」了——
坐在紡錘式的小船裏，
船公每划一槳，
就漩洄了一個笑渦，
浮出了一朶白水花，
勿論划無數槳，
就成了無數笑渦與水花，
富于藝術的船公呵！

我願你永遠造這般的笑渦，
更願你永遠造這般的水花。

（十一）

燕兒巡着水面，
迴環地飛着，
高高低低地飛着。
有時翅膀拍着湖兒底臉，
把水花向上吸引着。

（十二）

柳陰下的勾背『老官』，
踞在那裏垂釣：
他忽然把釣竿急迫地一舉，

一個半來尺長的魚
受了餌物的催眠，
被他騙出了伊底極樂之國了。

（十三）

敏慧的鳥兒，
宛轉地歌唱在樹上；
伶俐的魚兒，
活潑地游戲在水裏。
樹上水裏兩相望，
只是永無攜手時！

（十四）

綠了的黝綠的水，

平平坦坦地鋪着。
浪紋漪漪地，
柔波灩灩地，
活像一幅錦繡綾羅。
這是誰織的呵？
是施女神的十指纖纖的手兒織成的麼？
是伊做衣用的呢？
做裙用的耶？
還是給我做袍用的罷？

（以上十四首作于一九二一年春天。）

（十五）

我逛着S形的草路，

風的蕙

手掠着路旁齊腰高的綠草。
那裏啼着斷斷續續的杜鵑聲？
你不捨青春歸去麼？
煩你來喚住伊麼？
司春之神呀，
你要把一切春化的伊們領回深閨了麼？
那雲邊的小鳥呀！
你飛到那里去呀？
你請追回春罷！
哦！我還要託你去到我底伊那里呢：
把我底心帶去給伊呀！
把伊的帶來給我呀！

（十六）

我站在幽閒的林中，
垂頭靜靜地沉思着。
絲絲絲絲的情緒，
低低低低地只是沉下去。
簫聲自湖上飄來，
敲得我底心情放蕩起來了。
何等悠揚的簫聲呵，這是！
哦！我底心呀！
你和簫聲化合着，
去纏繞着你所愛的人兒罷。

（十七）

蕙的風

橫一行直一行的竹兒，
低頭亭亭地立着。
東風——西向；
南風——北斜。
喂！你向誰點頭呵？
是向我點頭麼？

※　※

我攀着翠竹，
我坐着濃陰，
教伊做我底傘，
遮了這已熱未酷的驕陽。
繼續着着花的蕙花，

172

怕人的樣兒躲在竹兒底脚下。
伊含羞着微微地搖搖，
是在笑吟吟地招我了？
伊底幽香握住我底靈魂，
我底靈魂給伊薰醉了。

（十八）

我酥嬾得好倦，
臥在草地上仰着頭：
看哪！
那朵朵的雲，
直是朵朵的花呵！
天上美麗的花呀，

你來罩着我睡罷。

（十九）

朝暉染在水裏，從湖心亭底簾隙中反射進來給壁上掛着的『西子捧心圖』披上了一朵朵紅紅紫紫色色相溶的美化的鮮花。

伊看看自己，確是美麗無比了；伊幾千年來顰着的眉，蹙着的額，都開展了，——微微地笑着。

剎那間，光明的花隱去了，於是那個顰仍舊踞到伊臉上來。

（二十）

美妙的荷花：

你那血紅的色，
是我底情之火把你燃燒着的罷？
我讚美你——
讚美你是宇宙之精華呵！
宇宙的蜜意你都含着在。
露水與你接吻，
你臉上就透出新胭脂了。
呵！好不鮮艷呵，你喲！

（二十一）

捲起竹絲簾子，
放進一些些涼意，
吸飽了湖光山色；

我每一個細胞都爽快了。

（二十二）

綠濃濃的葉襯着紅淡淡的花，
高興地在湖中蹈舞——
綵花映在柔碧的水裏，
微風吹起綠波，
荷花彎一彎纖腰，
映得綠裏翻紅，紅裏翻綠：
我底心海之花呵，也舞起來了！

（以上八首作於一九二一年夏天。）

（二十三）

我崇拜的西湖呀！

冬天苛待你，
你底命運就陰鬱了！
但你春天的微笑，
你春天的芬芳，
你春天的佳麗，
依然秘密地溶在我底心神裏呢。
你放心罷！
我要爲你保守，
直至我底生命底最後；
並且和我一道葬入墳墓去。

（二十四）

山這般素淡，

湖這般清靜，
風姿更覺閒雅了。
莫不是去年和伊同遊的時候到了？

（二十五）

千朵萬朵的雪花，
顛顛倒倒地落在湖裏，
即刻就消化沉淪了。
我淒切地想着：
假如——
這些雪花幸而不薄命，
重重疊疊地堆滿湖上，
那末，這銀湖兒將怎樣優美呵。

（二十六）

我想起去年的梅花，
就去探探伊們開也未。
跑到孤山梅樹旁，
見一人剛採下一枝，
樹上已空了。
可惜只有這第一枝呵！
我於是悵惘得說不出。

（以上四首作於一九二一年冬天。）

（二十七）

我們正遊玩在野地上，
討厭的雨敲斷了我們底遊興。

我們前去躲躲雨罷：
—竹君跑得好快呵，
我趕去扶着伊罷，
担心着伊滑一交哪。

※ ※

滿路的濘泥呀，
你何苦阻礙我底脚？
路旁的荊棘呀，
你何苦牽制我底衣？
我非常疲乏了，
但我底熱望沒有疲乏呵！

（一九二二，三，十二。）

（二十八）

我自早晨遊到黃昏，
我底軀殼歸來了；
但我底靈魂已被沿岸的柳絲繫着，
深深沉入西湖底去了。
靈魂呀！
我願你從今葬在西湖底，
不願你重復反人間！

（一九二二，四，二。）

（二十九）

我們團坐在草地上，
擺開帶來的麵包，

（這是當做遊山的午餐的）

我們每人分一股，
也分一股旁邊賣甘蔗的小販子；
他覺得這是奇而又奇了，
他永不曾見過這樣的事體。

（一九二二，四，一一，一）

西湖小詩

（一）

夜間的西湖姑娘，
被黑暗吞下了：
終不能見面，
雖然大睜着眼儘瞧。

（二）

保叔，雷峯遙遙相對，
爲什麼不能握手？

（三）

湖心亭呵，

你只懶懶地坐在水裏；
爲甚不跳得高高地——
跳到南高峯北高峯去耍子呢？

（四）

韜光底竹兒們，
都手攜手，肩並肩地私語着。
但爲甚不洩漏些兒給我聽聽？

（五）

竹小姐呵，大方些罷！
何必藏着臉兒羞笑？

（六）

林詩翁呵！起來梳洗罷，

梅花夫人等着你同伴去遊春呢。

（七）

梅花姊妹們呵，
怎還不開放自由花？
儒怯怕誰呢？

（八）

竟也跑上初陽台了：
天空何爽朗！
胸懷何盪盪！

（九）

玉泉底魚朋友呵，
我替你開一道火車到西湖，

讓你去遊嬉湖世界，
好不好呢？

（十）

小青女士呵，
一湖碧水洗清了你底愁恨沒有？

（十一）

嬌艷的春色映進靈隱寺，
和尚們壓死了的愛情，
於今壓不住而沸着了：
悔煞不該出家呵！

（十二）

裏湖，外湖因爲國界爭吵了；

葛嶺先生呵，去幫他們講和罷，
叫他們撤消了國界罷。

（十三）

阮公墩和湖心亭烈熱地愛着，
不至於不能自由結婚罷？

（十四）

你不羞恥麽，岳飛——
你底同胞，秦檜，囚在你面前？
可憐見，放了他罷！

（十五）

蛙的跳舞家呵，
你想跳上山巔麽？

想跳上天罷？

（十六）

我找不到一個伴侶在三潭印月，
眞個寂寞煞人也呵！

（十七）

我在母親懷裏就羨慕着的西湖，
可恨拜望得太遲了；
於今結了一場親密的交情，
可喜這宇宙裏有了我們不滅的友誼了。

（一九二二，二，八，下午二時。）

第四輯

題B的小影

B呀！
我彷彿當面會着你。
我問你是誰，
你怎的不說你是你？

* *

我看着你，你看着我，
四個眼睛兩條視線——
整整對了半天——
你也無言，我也無言。

* *

你底神韻仍是泰然，
眼睛仍是品瑩的；
你耳後隱隱的絲絲髮兒，
像要飛舞似的。

＊ ＊

一切你所有的，
早已印在我底腦裏了；
這個機械的照片，
又那替得我腦中的小影那樣好！

（一九二〇，五，六，於徽州屯溪。）

送別浩川

我底心忐忑亂跳，
我推想你也是忐忑亂跳！
你記得麼？
我底浩川，我愛敬的浩川哥哥：
同遊白嶽看飽山景，嗅飽花香——記得麼？
我倆傾心吐眞誠至於忘饑忘睡——記得麼？
我喜聽故事，常常伏在你身上或坐在你腿上
聽你說，每日不講十回三回總有——記得麼？
我胆小怕駭，你每伴我月夜徘徊——記得麼？
你是和藹仁愛，我心領了你待我的眞誠，有

時我喜歡笑着叫你一聲『姆媽』，高興衝動了輕輕打你一掌——就是把我底愛意由手掌送給你——你必定撫慰我說，『孩子的打，不但不痛，並且有無限快感』——記得麼？

※ ※

平淡淡的風，
帶來一些悲傷。
淡灰色的太陽，
微張淚眼俯視着。
二童講書山上兩個石童子（註）
依戀不捨的狀態，
他們也是送別你麼？

我望着你去——
遠遠地看不見了。
唉！我底心更是忐忑亂跳，
你呢，可還更是忐忑亂跳？

（一九二〇，冬，回憶暑假時在屯溪之送別而作）

註：二童講書山乃徽州休甯八景之一，在屯溪西三里。山爲岩石獨聳，頂端天然分裂，望之若二童子焉；故名。

暴雨

暴雨密密地，
向着田中的農夫打擊。
他勞苦得遍身是汗，
淋漓得雨和汗都分不出。

我特爲他祈禱：
上帝呀！請你降福給他——
你給他的雨點汗滴，
請變爲珍珠的米粒給他！

（一九二〇，六，於績溪余村。）

蝴蝶（兒歌）

蝴蝶哥哥，
你憂愁什麼？
蘭花妹妹等着你，
望你快去看看伊。
你去看見伊，
必定笑呵呵！

（一九二一，十一，二三，於杭上）

我們想（兒歌）

我們想，
生兩翼，
飛飛飛上天，
做個好遊戲：
白白雲，
當做船兒飄；
圓圓月，
當做球兒抛；
平平的天空，
大家來賽跑。

（一九二一，十二，七。）

向乞丐哀求

不要太自謙了，
山路旁的乞丐呵！
你這樣富有——
有田野的香味，
有委婉的鳥歌，
有靑翠的草木，
有艷麗的山花——
你儘可驕傲了。
我們這些遊客，
其實眞是窮小子呵！

你反向我們乞憐，
我們有什麼配送你呢？
我們誠懇地哀求你，
請你寬恕久溺苦悶的我們，
讓我們享樂你底自然的山園喲！

（一九二二，四、二，偕修哥遊吳山時）

小孩子

我滿心快意，
想招那小孩子和我遊戲，
但他只自顧自地
背了他底面孔不理我。
眞無計可施了，
我只得掏了兩個銅子給他，
他就笑嬉嬉地親近我了。
於是我底快意改做悲意了：
不幸的孩子呵，
被人間剝了眞與善的孩子呵！

（一九二二，四，一一。）

遣憂

牧童和樵女疲乏極了，
同來坐在田陌上談談心。
他們只消微笑一凝視，
他們底辛苦即刻逃掉了。
他們無時不浸在憂愁裏；
僅每日牧牛砍柴時
這一忽的相逢異樣地爽快。

（一九二二，四，二七，于姑蘇。）

兩樣世界

快樂的小雀們，
一齊出了窠，
舞蹈的——舞蹈，
唱歌的——唱歌，
咭咭地笑得高興呵。
他們底爹媽看見了，
獎勵地鼓掌稱讚；
他們更其起勁了。

※ ※

快樂的小孩們，

一齊做人家，（註）
舞蹈的——舞蹈，
唱歌的——唱歌。
嘻嘻地笑得高興呵。
他們底爹媽看見了，
嚴肅的臉趕走了他們的快樂；
他們駭得啼哭了。

（一九二二，四，十一。）

註：「做人家」是我們績溪小孩們模仿家庭事的一種遊戲；扮起父，母，子，女，新郎，新娘子……等人物做日常生活。

贈糖

瓜皮艇裏天眞的女孩兒，
嬌憨地偎在伊媽媽懷裏，
媽媽底慈祥罩着伊。
我不覺地把我將要吃的幾塊糖拋給伊，
幾次都誤投水裏了。
伊未得到我底贈品，
伊底笑容已表無限的謝忱了；
伊旁邊的嚴厲的爸爸，
却給我一個『不以為然』的眼色了。

（一九二二，四，三，伴修哥遊南屏山時）

情侶

我們挽着臂兒，
爬上無路的荒山。
我疲倦得好厲害，
禁不住懦怯地喘着了。
阿修給我特有的和愛的一微笑，
使得我慰安而奮勇了。
我底修呵！
你給我無限的力了。

（一九二二，四，四，和漢修同遊雲棲。）

送你去後

送你去後的我，
是失落了心的人兒了。
我底心跟着你去了，
我只是滿肚煩亂呵！

愁時，沒有你慰我了；
喜時，沒有你吻我了；
睡時，沒有你並着頭；
夢時，沒有你抱着腰。

好哥哥呵，
我戀戀不捨的哥哥呵！
你心愛的人兒要哭了，
於今沒有了一個心了。

（一九二二，四，七。）

自由

我要使性地飛遍天宇，
遊盡大自然的花園，
誰能干涉我呢？
我任情地飽嘗光華的花，
誰能禁止我呢？
我要高歌人生進行曲，
誰能壓制我呢？
我要推翻一切打破世界，
誰能不許我呢？
我只是我底我，

我要怎樣就怎樣，
誰能範圍我呢？

（一九二一，十二，二十。）

担憂

衰老的祖母呀！
你爲我新添了幾根白髮了？

（一九二一，十一，二四。）

洋洋

我遠望洋洋的海，
我洋洋的心更覺洋洋了。

（一九二一，十二，二五。）

怯弱者

我被強蠻者捕虜的生活，
實在忍無可忍了。
抵抗麼？
無力呀！

（一九二一，十二，二十。）

生生世世

生生世世的人們，
只忙着做新墳墓的候補呀！

（一九二一，十二，二十。）

遊甯波途中雜詩

（一）

面面的山都旋轉着，
宇宙萬象儘管送來，
——集中于我底眼球。
車旁的電線桿霍霍地閃過。
你們競走麼，電線桿呵？
你們好不跑得快呀！
誰都趕不上你們呀！

（二）

許多石牌坊——

貞女坊，節婦坊，烈婦坊——
愁恨樣站着；
含怨樣訴苦着；
像通告人們，
伊們是被禮教欺騙了。

（三）

鑼鼓敲着；
紙扎龍舞着；
三角旗兒撐着；
菩薩放在轎裏抬着：
大概是鄉間做菩薩會罷？
但是，鄉人呀！

神給了你們些什麼？

（四）

農夫監着苦力的牛，
牛拖着沉重的犂。
另一個農夫坐在墻上的樹下，
吸着旱烟休息。
一個十來歲的鄉下姑娘，
牽着白羊牧着。
幾個赤足的孩子，
騎着竹馬，
唱着村歌遊戲着。

（五）

村婦底老黃的手抱着嫩黃的小孩，
小孩底兩個圓大烏黑的眼睛
靈活活地一眼射着我們
顯出驚異的神氣；
「快呵！……看呵！……快呵！……」
——不住地，小嘴這麼喊着。

（六）

瞬間的景色飛快地只是閃，
那有這樣會畫畫的畫家能畫這幅活圖畫？
唯有我底眼睛，
已經攝下他們任何的相貌了。

（一九二二，四，二一，於杭甬路車中。）

長夜

偏偏不許我沒有煩悶的長夜呵！

（一九二二，二，六。）

蜂兒

一隻蜂兒飛着嗡嗡地叫，
像是尋什麼尋不着的東西。
他看見一朶燈花，
他計算到燈花上去。
他飛繞了幾個圈，
到了可愛的花上了，
嘗着花裏香噴噴甜蜜蜜的花髓了。
但是蜂兒在那裏呢？
只有燈花上一個快燒成灰的小小炭，
被燈花的火力撑得滾了下來。

（一九三〇，十二，十四。）

波呀

風吹縐了的水，
莫來由地波呀，波呀。

（一九二二，二，六。）

穿不完

一縷縷的煩惱絲，
穿穿一滴滴的憂愁淚；
怎能穿得完呢？

（一九二二，二，六。）

歸燕

桃花開始含笑了，
燕兒做客歸來了。
帶了些什麼來呢？
海裏的珍寶麼？
和暖的春情罷？

（一九二二，二，八。）

盡是

盡是失路的鴉兒，
徬徨於灰色的黃昏。

（一九二二，二，六。）

瞎了麼？

饑餓的魚兒們呵！
我奉送幾片餅乾在水裏，
請你們充充饑罷。
哼！瞎了麼？
爲甚偏不吃香甜的餅乾呢？

（一九二二，四，二。）

忍氣

躲避着强蠻的風
翻在葉底下的嬌小的鳥呵。

（一九二二，二，六。）

心曲

對着鏡中的我，
似乎有無限心曲，
想傾心相吐而不能呀。

（一九二二，三，六。）

欣羨

朝陽裏驕傲地憤怒地放着奇香的花啊。

（一九三二，二，九。）

久雨

天公呵，不要儘哭着罷！
倘你流更多些的淚，
怕不要沉淪了世界麽？

（一九二二，二，六。）

同情

黃鸝唱着快樂歌，
玫瑰隨着歌聲歡笑了。
黃鸝唱着悽涼歌，
玫瑰隨着歌聲流淚了。
我無論唱什麼歌，
人們只板着淡漠的臉向着我！

（一九二二，三，二三。）

搗破了的心

那乞兒絕望地在哭，
我打算去噢咻他，
但我忍耐不住看見
他那不幸的瀸陋的苦臉；
我只有不安的惶悚，
我只有難堪的心酸。
我底被悽慘的哭聲搗破了的心，
沒有那般勇氣說出半句慰語呵！

（一九二二，四，一五。）

晨光

我浸在晨光裏，
週圍都充滿着愛美了。
我吐盡所有的苦惱鬱恨，
我儘量地飲着愛呵！
儘量地餐着美呵！

（一九二一，八，三一，於西樓。）

慰盲詩人

你若看見這個叫人閉目塞鼻的世界，
你將必自幸是個瞎子呢。

（一九二一，十一，十九。）

園外

我站在花園外，
眼睛配着牆洞望裏瞧：
呵，芙蓉花！
開得好不美妙！
伊飛紅着臉，
抿着嘴微笑。

＊　＊

我恨不得跳了進去；
但是牆圍礙阻，
叫我怎能跳？

雖然——

我却連園角頭那枝都看見了。

因爲伊把我底視線牽引去，

似乎我底視線能夠轉彎了。

（一九二〇，十，二三。）

末路

一隻小狗被傷害了，
顫弱無力地呼救着。
一聲聲催我淚流，
叫我感到人生末路的悲哀。

（一九二一，十一，二十，晨，）

離杭州之晨

(一)

漠華眼圈那麼一紅，
友情的淚酸了我底心。

(二)

忍耐不住了的雪峯，
不來和我話別，
背過臉兒獨自淒涼着。

(三)

我要上旅路了，
替我撿一件行李嘆一口氣的洞庭呀。

（四）

我親愛的朋友，——
父親似的M，
母親似的S，
哥哥似的B，
弟弟似的D，——
都一串兒來絆着我來了。

（五）

眼見沒有伊了，
掛着頭兒癡着：
我底手只是塞在我眼前，
恨起來砍掉了他！

（六）

探望着玲瓏的村舍，
便想試猜猜何處是伊底家了。

（七）

即使在玲瓏拾一點土芥，
也要拿去珍藏的；
無奈火車不講人情，
不許我稍微停一停。

（八）

伸手向窗外，
要和他重握手，
「怎麼？手呢？」

倒忘了我在車中去已遠了。

（九）

在別離後的火車中，
聽不着轟轟聲，
只伊那親溫的軟語還是不間斷的。

（十）

伊昨天那一笑已儘夠了，
今天不來送也罷；
好在省却一回臨別滋味呵。

（一九二二，七，二，杭滬路車中。）

中華民國十一年八月出版

蕙的風（全）

每册定價洋五角

外埠酌加郵費

著者 汪靜之

發行者 亞東圖書館 上海五馬路棋盤街西首

印刷者 亞東圖書館 上海五馬路棋盤街西首

分售處 各省各大書店

先生研究新詩嗎？

草兒

康白情著　每冊定價八角

有自序，有俞平伯先生序。分三部：⑴從「草兒在前」一詩起，至九月二十七日赴美止所作新詩；⑵附錄舊詩詞數十首；⑶附錄「新詩短論」一文。

冬夜

俞平伯著　每冊定價六角

有自序，有朱自清先生序。俞先生三年來的詩，除掉幾首被刪以外，大致都彙在這個集子裏。全集分四輯。

上海亞東圖書館發行

加新式標點符號的
三國演義
洋裝兩册
兩元八角
平裝四册
兩元二角
『五百年來，無數的失學國民從這部書裏得着了無數的常識與智慧，……學會了看書寫信作文的技能，……學得了做人與應世的本領。』
（胡序）
三國演義序
胡適之先生
三國演義序
錢玄同先生
上海亞東圖書館發行

加新式標點符號分段的

水滸

水滸傳考證

胡適之先生

「……這部新本水滸的好處就在把文法的結構與章法的分段來代替那八股家的批評……」（三萬餘字）

水滸新叙

陳獨秀先生

「……水滸傳的長處乃是描寫個性十分深刻……」

（七百餘頁）洋裝兩冊，兩元二角

平裝四冊，一元八角

上海，亞東圖書館發行

加新式標點符號分段的

修正三版

儒林外史

——國語的文學——

吳敬梓傳………胡適之先生

儒林外史新叙…陳獨秀先生

儒林外史新叙…錢玄同先生

●全書近五百中頁●

▲洋裝一冊 一元八角

▲平裝二冊 一元三角

上海，亞東圖書館發行

胡適文存

全書由胡先生親自編定，分爲四卷。

有的文章是發表過而修正的，有的是不曾發表過的。

『沒有一篇不用氣力的文章，沒有一句自己不深信的話』。

△卷一，論文學的文章。

△卷二與卷三，帶點講學性質的文章。

△卷四，雜文。

洋裝兩册两元八角

平裝四册两元二角

亞東圖書館發行

吳虞文錄

先生知道孔子之道何以不合現代生活？先生對於孔教懷疑到什麼地步？不可不看吳又陵先生的這部集子。

這部集子裏的文章，大半是對於孔教的討論和批評。他是用實際的效果去批評他的。他的方法是最嚴厲，而又最和平。

全書一册定價三角

亞東圖書館發行

THE ORIENTAL BOOK COMPANY